Impressum
Verlag: BABADADA GmbH, Nedderfeld 112 , 22529 Hamburg
Geschäftsführer / Verlagsleitung: Harald Hof
Druck: Books on Demand GmbH, In de Tarpen 42, 22848 Norderstedt

Imprint
Publisher: BABADADA GmbH, Nedderfeld 112 , 22529 Hamburg, Germany
Managing Director / Publishing direction: Harald Hof
Print: Books on Demand GmbH, In de Tarpen 42, 22848 Norderstedt, Germany

1

# школа

## դպրոց

класны пакой
дзяліць
բաժանել
186/2
дошка
գրատախտակ
настаўнік
ուսուցիչ
школьны двор
խաղադաշտ
папера
թուղթ
пісаць
գրել
ручка
գրիչ
пісьмовы стол
գրասեղան
лінейка
քանոն
кніга
գիրք
вучань
աշակերտ

ранец

պայուսակ

пенал

գրչատուփ

просты аловак

մատիտ

тачылка для алоўкаў

մատիտի սրիչ

гумка

ռետին

ілюстраваны слоўнік

պատկերազարդ բառարան

альбом для малявання

նկարչական ալբոմ

малюнак

նկարչություն

пэндзлік

վրձին

фарбы

ներկերի տուփ

нажніцы

մկրատ

клей

սոսինձ

сшытак

տետր

хатняе заданне

Տնային աշխատանք

лік

թիվ

дадаваць

գումարել

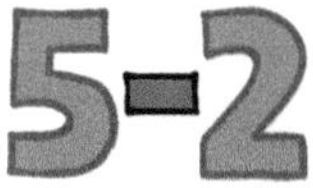

адымаць

հանել

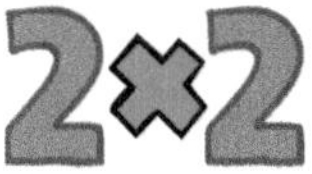

множыць

բազմապատկել

лічыць

հաշվել

літара

տառ

алфавіт

այբուբեն

слова

բառ

тэкст

տեքստ

чытаць

կարդալ

крэйда

կավիճ

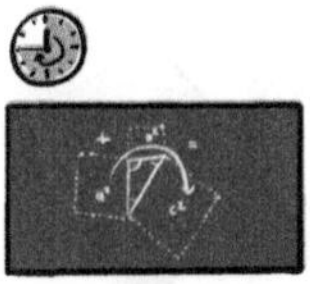

ўрок

դաս

класны журнал

մատյան

экзамен

քննություն

атэстат

վկայական

школьная форма

դպրոցական համազգեստ

адукацыя

կրթություն

энцыклапедыя

հանրագիտարան

універсітэт

համալսարան

мікраскоп

մանրադիտակ

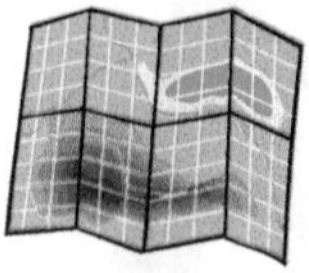

карта

քարտեզ

смеццевы кошык

աղբարկղ

школа - դպրոց

гатэль
հյուրանոց

хостэл
հանրակացարան

абменны пункт
փոխանակման կետ

аўтамабіль
ավտոմեքենա

чамадан
ճամպրուկ

мова
լեզու

так / не
այո / ոչ

добра
Լավ

прывітанне!
ողջույն

перекладчык
թարգմանիչ

дзякуй
Շնորհակալություն

Колькі каштуе....?

Որքան է ...?

я не разумею

Ես չեմ հասկանում

праблема

խնդիր

Добры вечар!

Բարի երեկո

Добрай раніцы!

Բարի լույս

Дабранач!

Բարի երեկո

да пабачэння

ցտեսություն

кірунак

ուղղություն

багаж

ուղղեբեռ

сумка

պայուսակ

заплечнік

մեջքի պայուսակ

госць

հյուր

пакой

սենյակ

спальны мяшок

քնապարկ

палатка

վրան

інфармацыя для турыстаў

Զբոսաշրջության տեղեկատվական

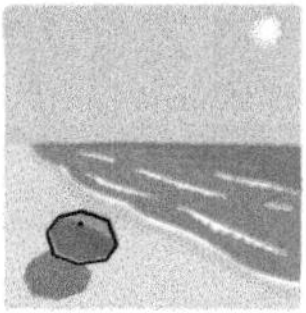

пляж

լողափ

крэдытная картка

ԿՐԵԴԻՏ քարտ

снеданне

Նախաճաշ

абед

լանչ

вячэра

ճաշ

праязны білет

տոմս

ліфт

վերելակ

паштовая марка

կնիք

мяжа

սահման

мытня

մաքսային

пасольства

դեսպանություն

віза

Մուտքի արտոնագիր

пашпарт

անձնագիր

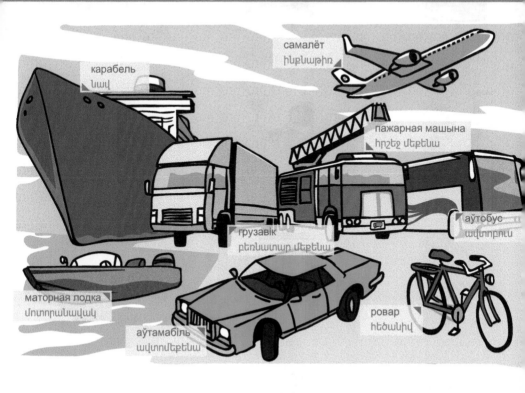

# транспарт
## Փոխադրամիջոցներ

самалёт
ինքնաթիռ
карабель
նավ
пажарная машына
հրշեջ մեքենա
аўтобус
ավտոբուս
грузавік
բեռնատար մեքենա
маторная лодка
մոտորանավակ
ровар
հեծանիվ
аўтамабіль
ավտոմեքենա

паром

լաստանավ

лодка

նավակ

матацыкл

մոտոցիկլ

паліцэйская машына

ոստիկանության մեքենա

гоначны аўтамабіль

մրցարշավային մեքենա

арэндаваны аўтамабіль

վարձակալվող մեքենա

сумеснае карыстанне
аўтамабілем

մեքենայի վարձակալում

эвакуатар

Էվակուատոր

смеццявоз

աղբահանության մեքենա

матор

շարժիչ

паліва

վառելիք

запраўка

բենզալցակայան

дарожны знак

երթևեկության նշան

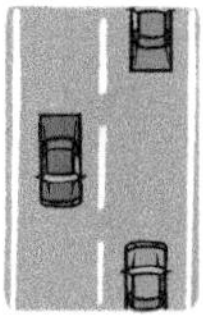

дарожны рух

երթևեկություն

затор

խցանում

паркоўка

ավտոկանգառ

чыгуначная станцыя

երկաթուղային կայարան

рэйкі

երկաթուղագիծ

цягнік

գնացք

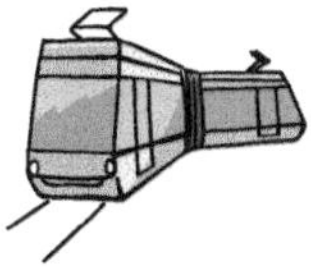

трамвай

տրամվայ

вагон

վագոն

верталёт

ուղղաթիռ

аэрапорт

օդանավակայան

вежа

աշտարակ

пасажыр

ուղևոր

кантэйнер

աման

кардонная скрыня

խավաքարտ

тачка

սայլ

карзіна

զամբյուղ

ўзлятаць / прызямляцца

հանեք / հողատարածք

# горад
## քաղաք

вёска

գյուղ

цэнтр горада

քաղաքի կենտրոնում

дом

տուն

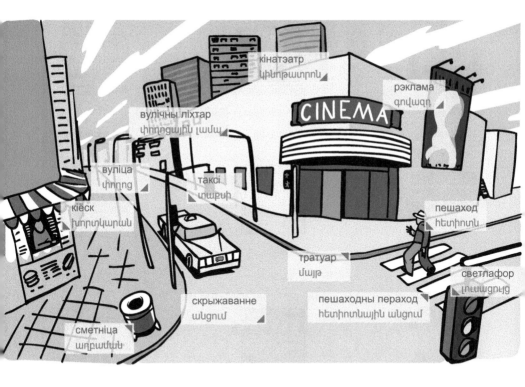

кінатэатр
կինոթատրոն

рэклама
գովազդ

вулічны ліхтар
փողոցային լամպ

вуліца
փողոց

таксі
տաքսի

кіёск
խորտկարան

пешаход
հետիոտն

тратуар
մայթ

светлафор
լուսացույց

скрыжаванне
անցում

пешаходны пераход
հետիոտնային անցում

сметніца
աղբաման

халупа
........................
խրճիթ

кватэра
........................
բնակարան

чыгуначная станцыя
........................
երկաթուղային կայարան

ратуша
........................
քաղաքապետարան

музей
........................
թանգարան

школа
........................
դպրոց

університэт

համալսարան

банк

բանկ

шпіталь

հիվանդանոց

гатэль

հյուրանոց

аптэка

դեղատուն

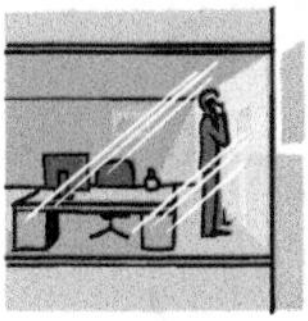

офіс

գրասենյակ

кнігарня

գրքույկ խանութ

крама

խանութ

кветкавая крама

ծաղկի խանութ

супермаркет

սուպերմարկետ

кірмаш

շուկա

універмаг

հանրախանութ

рыбная крама

ձկան խանութ

гандлевы цэнтр

առևտրի կենտրոն

порт

նավահանգիստ

парк

զբոսայգի

лава

բանկերը

мост

կամուրջ

лесвіца

աստիճաններ

метро

մետրո

тунэль

թունել

прыпынак

ավտոբուսի կանգառ

бар

բար

рэстаран

ռեստորան

паштовая скрыня

փոստարկղ

вулічны паказальнік

փողոցային նշան

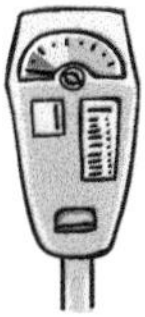

паркамат

ավտոկայանման հաշվիչ

заапарк

կենդանաբանական այգի

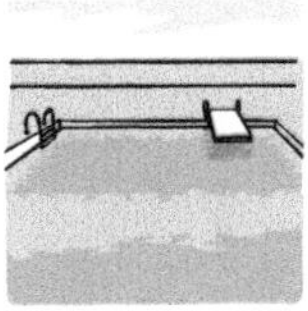

басейн

լողավազան

мячэць

մզկիթ

сядзіба

ֆերմա

забруджванне навакольнага асяроддзя

աղտոտման

могілкі

գերեզմանոց

царква

եկեղեցի

пляцоўка для гульні

խաղահրապարակ

храм

տաճար

# краявід

## բնապատկեր

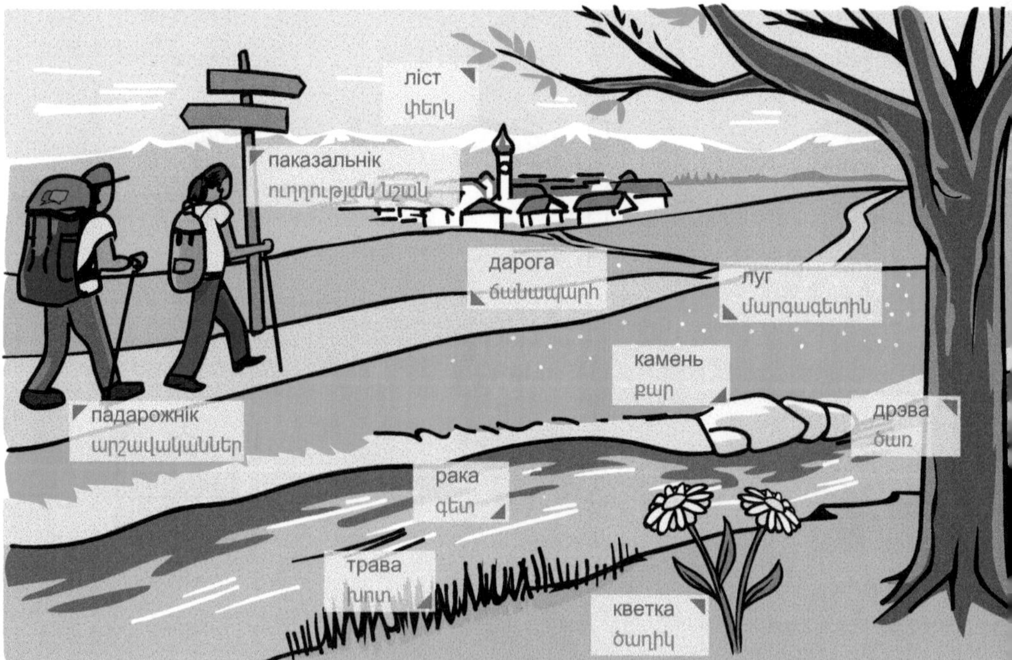
ліст
փեղկ
паказальнік
ուղղության նշան
дарога
ճանապարհ
луг
մարգագետին
камень
քար
падарожнік
արշավականներ
дрэва
ծառ
рака
գետ
трава
խոտ
кветка
ծաղիկ

даліна

հովիտ

гара

բլուր

возера

լիճ

лес

անտառ

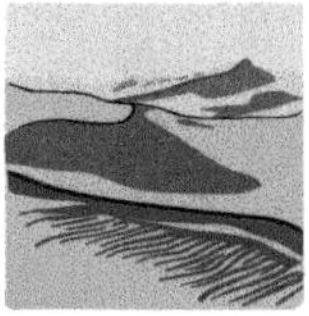

пустыня

անապատ

вулкан

հրաբուխ

замак

ամրոց

вясёлка

ծիածան

грыб

սունկ

пальма

արմավենու ծառ

камар

մժեղ

муха

թռչել

мурашка

մրջյուն

пчала

մեղու

павук

սարդ

жук

բզեզ

жаба

գորտ

вавёрка

սկյուռ

вожык

ոզնի

заяц

նապաստակ

сава

բու

птушка

թռչուն

лебедзь

կարապ

дзік

վարազ

алень

եղջերու

лось

իշայծյամ

плаціна

պատնեշ

вятрак

քամին տուրբինների

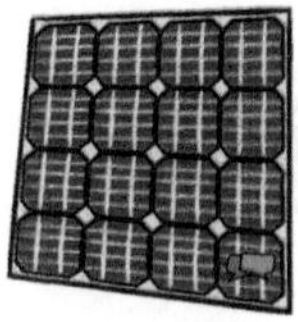

сонечная батарэя

արեւային վահանակ

клімат

կլիմա

# рэстаран
## ռեստորան

афіцыянт
մատուցող
меню
մենյու
крэсла
աթոռ
суп
ապուր
піца
պիցցա
абрус
սփռոց
сталовыя прыборы
սպասք

закуска

ստարտեր

другая страва

հիմնական կերակուր

дэсерт

դեսերտ

напоі

օրական

ежа

սնունդ

бутэлька

շիշ

хуткае харчаванне (фаст-фуд)

արագ սնունդ

стрыт-фуд

streetfood

імбрык (чайнік)

թեյնիկ

цукарніца

շաքարաման

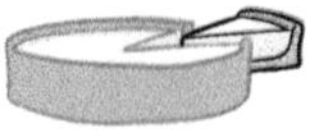

порцыя

բաժին

эспрэса-машына

էսպրեսսո մեքենա

дзіцячае крэселка

մանկական աթոռ

рахунак

օրինագիծ

паднос

սկուտեղ

нож

դանակ

відэлец

պատառաքաղ

лыжка

գդալ

чайная лыжка

թեյի գդալ

сурвэтка

անձեռոցիկ

шклянка

ապակի

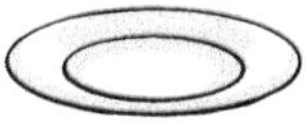

талерка

ափսե

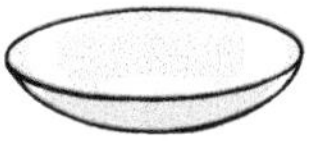

супавая талерка

խոր ափսե

сподак

պնակ

соус

սոուս

сальніца

աղաման

млынок для перцу

պղպեղի աղաց

воцат

քացախ

алей

ձեթ

спецыі

համեմունքներ

кетчуп

կետչուպ

гарчыца

մանանեխ

маянэз

մայոնեզ

# супермаркет

## սուպերմարկետ

акцыя
հատուկ առաջարկ
FOR
пакупнік
հաճախորդ
малочныя прадукты
Dairy
садавіна
միրգ
вазок
գնումների սայլակ

мясная крама

մսամթերքի խանութ

хлебны магазін

հացամթերքի խանութ

важыць

կշռել

гародніна

բանջարեղեն

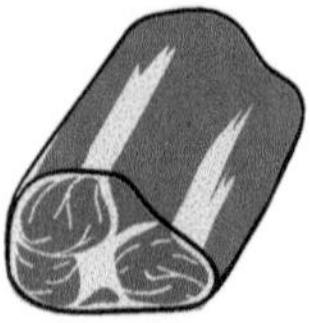

мяса

միս

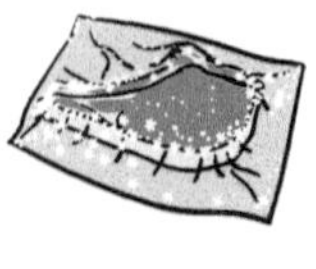

свежазамарожаныя прадукты

սառեցված սննդամթերքի

нарэзка

երշիկեղեն

кансервы

պահածոներ

пральны парашок

լվացքի փոշի

прысмакі

քաղցրավենիք

хатнія прылады

տնտեսական ապրանքներ

чысцячы сродак

մաքրող միջոցներ

прадавец

վաճառող

каса

դրամարկղ

касір

գանձապահ

спіс пакупак

գնումների ցուցակ

гадзіны працы

ժամերը

бумажнік

դրամապանակ

крэдытная картка

ԿՐԵԴԻՏ քարտ

сумка

պայուսակ

пакет

պլաստիկ տոպրակ

# напоі
# օրական

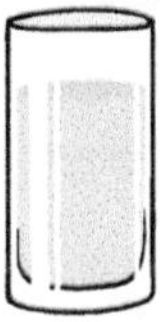

вада

ջուր

сок

հյութ

малако

կաթ

кола

կոլա

віно

գինի

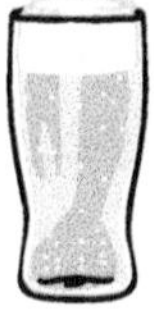

піва

գարեջուր

алкаголь

սպիրտ

какава

կակաո

гарбата (чай)

թեյ

кава

սուրճ

эспрэса

էսպրեսսո

капучына

կապուչինո

банан

բանան

яблык

խնձոր

апельсін

նարնջի

дыня

սեխ

лімон

կիտրոն

морква

գազար

часнок

սխտոր

бамбук

բամբուկ

цыбуля

սոխ

грыб

սունկ

арэхі

ընկուզեղեն

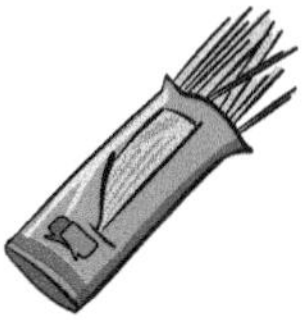

локшына

արիշտա

спагеці

սպագետտի

рыс

բրինձ

салата

աղցան

бульба фры

չիպս

смажаная бульба

տապակած կարտոֆիլ

піца

պիցցա

гамбургер

համբուրգեր

бутэрброд

սենդվիչ

шніцаль

կոտլետ

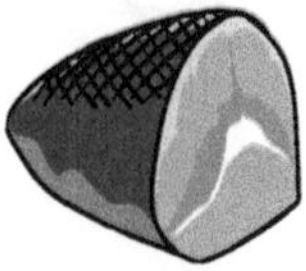

вяндліна

խոզապուխտ

салямі

սալյամի

каўбаса

երշիկ

курыца

հավ

смажаніна

խորոված

рыбак

ձուկ

24          ежа - սնունդ

аўсяныя камякі

վարսակի փաթիլներ

мюслі

մյուսլի

кукурузныя шматкі

եգիպտացորենի փաթիլներ

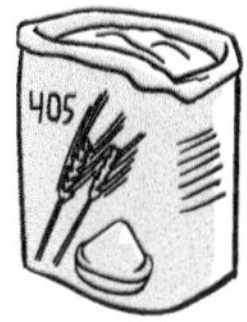

мука

ալյուր

круасан

կրուասան

булачка

բուլկի

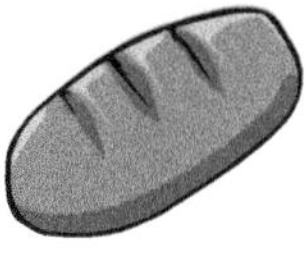

хлеб

հաց

тост

տոստ

пячэнне

թխվածքաբլիթներ

масла

կարագ

тварог

կաթնաշոռ

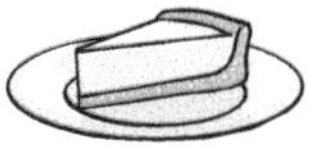

пірог

տորթ

яйка

ձու

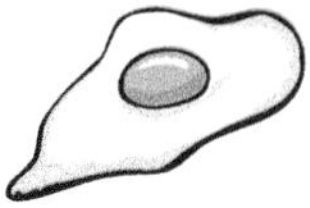

яечня

տապակած ձու

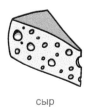

сыр

պանիր

марожанае

պաղպաղակ

цукар

շաքար

мёд

մեղր

варэнне

ջեմ

нуга

նուգա սերուցք

кары

կարրի

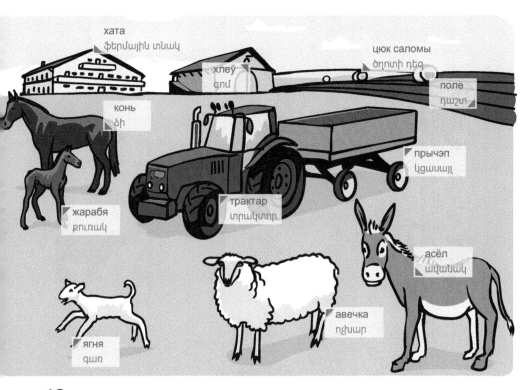

# сядзіба
## ֆերմա

хата
ֆերմային տնակ
хлеў
գոմ
цюк саломы
ծղոտի դեզ
поле
դաշտ
конь
ձի
прычэп
կցասայլ
трактар
տրակտոր
жарабя
քուռակ
асёл
ավանակ
авечка
ոչխար
ягня
գառ

каза

այծ

карова

կով

цяля

հորթ

свіння

խոզ

парася

խոճկոր

бык

ցուլ

гусак

սագ

качка

բադ

кураня

ճուտ

курыца

հավ

певень

աքլոր

пацук

առնետ

кот

կատու

мыш

մուկ

вол

ցուլ

сабака

շուն

сабачая будка

շան բուն

садовы шланг

այգու փողրակ

палівачка

watering կարող է

каса

գերանդի

плуг

գութան

серп

մանգաղ

матыка

թոխր

вілы для гною

եղան

сякера

կացին

тачка

միանիվ ձեռնասայլակ

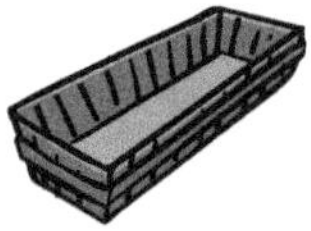

карыта

կերակրատաշտ

бітон для малака

կաթի բիդոն

мех

պարկ

плот

ցանկապատ

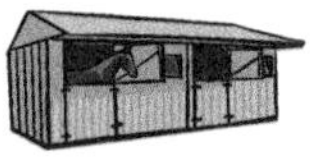

хлеў

կայուն

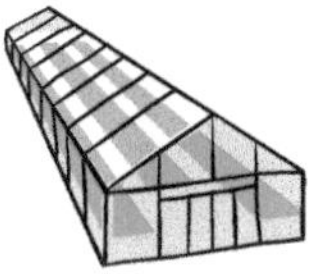

цяпліца

ջերմոց

глеба

հող

насенне

սերմ

угнаенне

պարարտանյութ

камбайн

բերքահավաք կոմբայն

збіраць ураджай

բերք

ураджай

բերք

ямс

յամս

пшаніца

ցորեն

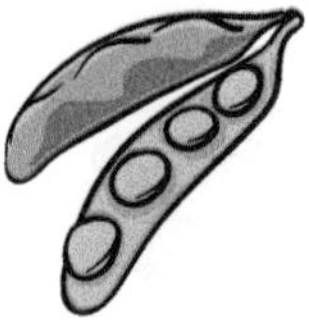

соя

սոյա

бульба

կարտոֆիլ

кукуруза

եգիպտացորեն

рапс

rapeseed

садовае дрэва

մրգային ծառ

маніёк

manioc

збожжа

շիլաներ

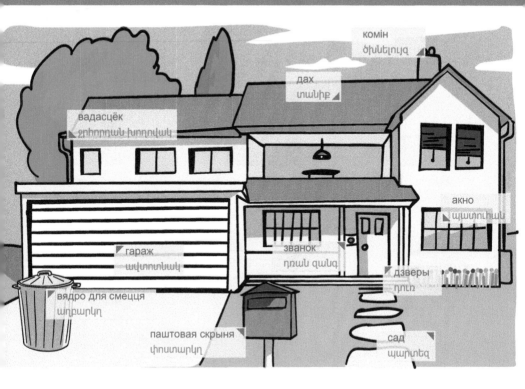

# дом

## տուն

комін
ծխնելույզ
дах
տանիք
вадасцёк
ջրհորդան խողովակ
акно
պատուհան
гараж
ավտոտնակ
званок
դռան զանգ
дзверы
դուռ
вядро для смецця
աղբարկղ
паштовая скрыня
փոստարկղ
сад
պարտեզ

жылы пакой

հյուրասենյակ

ванная

լոգասենյակ

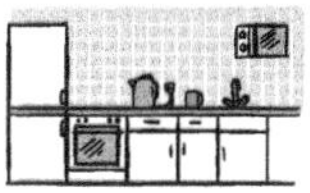

кухня

խոհանոց

спальны пакой

ննջարան

дзіцячы пакой

մանկական սենյակ

сталоўка

ճաշասենյակ

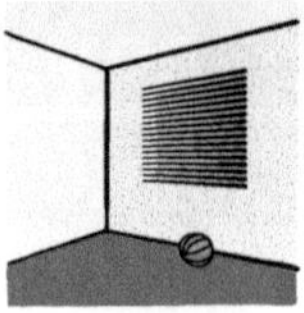

падлога

հարկ

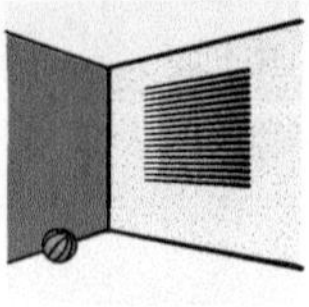

сцяна

պատ

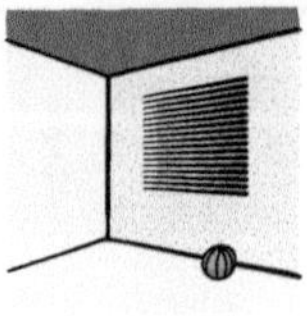

столь

առաստաղ

падвал

նկուղ

саўна

շոգեբաղնիք

балкон

պատշգամբ

тэраса

պատշգամբ

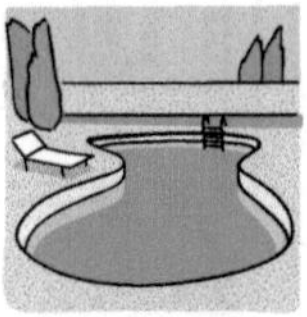

басейн

ավազան

касілка

խոտհնձիչ

падкоўдранік

թերթ

коўдра

անկողնու ծածկոց

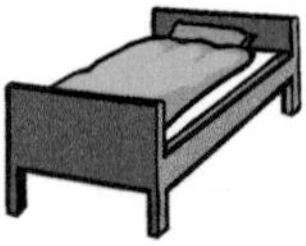

ложак

մահճակալ

венік

ավել

вядро

դույլ

выключальнік

անջատիչ

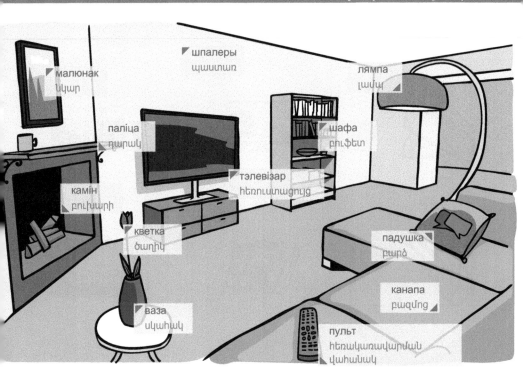

# жылы пакой
# հյուրասենյակ

шпалеры
պաստառ
малюнак
նկար
лямпа
լամպ
паліца
դարակ
шафа
բուֆետ
тэлевізар
հեռուստացույց
камін
բուխարի
кветка
ծաղիկ
падушка
բարձ
канапа
բազմոց
ваза
սկահակ
пульт
հեռակառավարման
վահանակ

дыван

գորգ

фіранка

վարագույր

стол

սեղան

крэсла

աթոռ

крэсла-качалка

ճոճվող բազկաթոռ

крэсла

բազկաթոռ

кніга

գիրք

коўдра

վերմակ

дэкарацыя

զարդարանք

дровы

վառելափայտ

кіно

ֆիլմ

стэрэасістэма

hi-fi

ключ

բանալի

газета

թերթ

карціна

նկար

постар

պլակատ

радыё

ռադիո

нататнік

տետր

пыласос

փոշեկուլ

кактус

կակտուս

свечка

մոմ

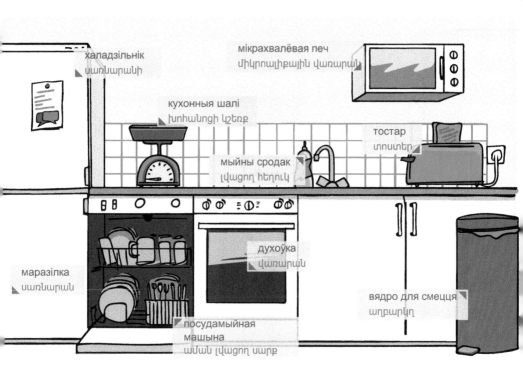

# кухня

## խոհանոց

халадзільнік
սառնարանի
мікрахвалёвая печ
միկրոալիքային վառարան
кухонныя шалі
խոհանոցի կշեռք
тостар
տոստեր
мыйны сродак
լվացող հեղուկ
духоўка
վառարան
маразілка
սառնարան
вядро для смецця
աղբարկղ
посудамыйная машына
աման լվացող սարք

пліта

կաթսա

рондаль

կճուճ

чыгунок

թուջե աման

Вок / кадаі

wok / kadai

патэльня

թավա

чайнік

թեյնիկ

кухня - խոհանոց 35

параварка

շոգենավ

бляха

ջեռոցի սկուտեղ

посуд

ամանեղեն

кубак

բաժակ

міска

խորը աման

палачкі для ежы

փայտիկներ

чарпак

շերեփ

лапатачка

խոհանոցային բահիկ

збівалка

հարել

сіта для варэння

քամիչ

сіта

մաղ

тарка

քերիչ

ступка

հավանգ

грыль

խորոված

вогнішча

բաց կրակի

дошка

տախտակ

качалка

գրտնակ

штопар

խցանահան

бляшанка

բանկա

адкрывалка

բացիչ

прыхваткі

խոհանոցային բռնիչ

ракавіна

լվացարան

шчотка

խոզանակ

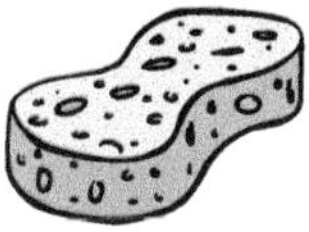

губка

սպունգ

міксер

բլենդեր

маразільная камера

սառնարան

бутэлечка

մանկական շիշ

вадаправодны кран

թակել

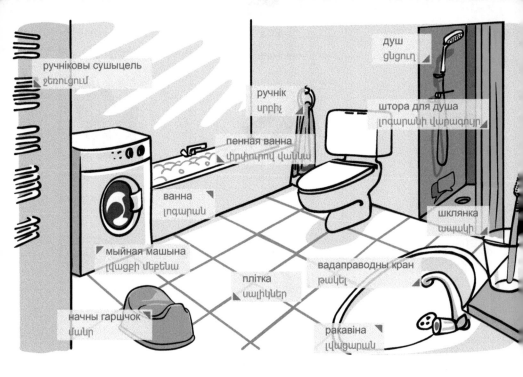

# ванная

# լողասենյակ

ручніковы сушыцель
չեռուցում
душ
ցնցուղ
ручнік
սրբիչ
штора для душа
լոգարանի վարագույր
пенная ванна
փրփուրով վաննա
ванна
լոգարան
шклянка
ապակի
мыйная машына
լվացքի մեքենա
вадаправодны кран
թակել
плітка
սալիկներ
начны гаршчок
մանր
ракавіна
լվացարան

туалет

զուգարան

падлогавы ўнітаз

կզելը զուգարան

бідэ

բիդե

пісуар

pissoir

туалетная папера

զուգարանի թուղթ

шчотка для чысткі ўнітаза

զուգարանի խոզանակ

зубная шчотка

ատամի խոզանակ

зубная паста

ատամի քսուք

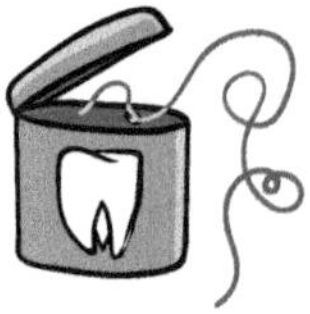

зубная нітка

ատամի թել

мыць

լվանալ

ручны душ

ձեռքի ցնցուղ

інтымны душ

ցնցուղ

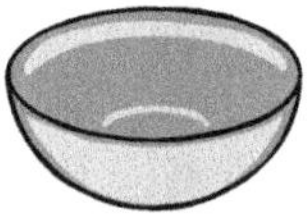

умывальнік

ավազան

шчотка для спіны

մեջքի խոզանակ

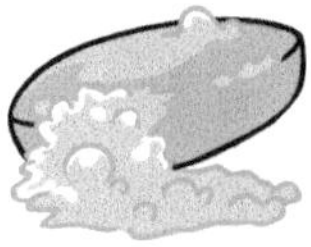

мыла

օճառ

гель для душа

լոգանքի գել

шампунь

շամպուն

вяхотка

ճիլոպ

вадасцёк

հատականցք

крэм

կրեմ

дэзадарант

դեզոդորանտ

люстэрка

հայելի

касметычнае люстэрка

ձեռքի հայելի

станок для галення

սափրիչ

пена для галення

Սափրվելու փրփուր

ласьён пасля галення

սափրվելուց հետո քսվող լոսյոն

грэбень

սանր

шчотка

խոզանակ

фен

մազերի չորացուցիչ

лак для валасоў

մազի լաք

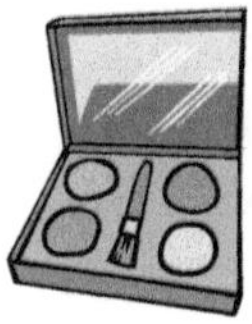

касметыка

դիմահարդարում

памада

շրթնաներկ

лак для пазногцяў

եղունգների լաք

вата

բամբակ

манікюрныя нажніцы

եղունգների մկրատ

духі

օծանելիք

касметычка

դիմահարդարման պայուսակ

табурэтка

աթոռակ

вагі

կշեռք

лазневы халат

լողանալու խալաթ

санітарныя пальчаткі

ռետինե ձեռնոցներ

тампон

տամպոն

гігіенічныя пракладкі

սանիտարական սրբիչ

біятуалет

քիմիական զուգարան

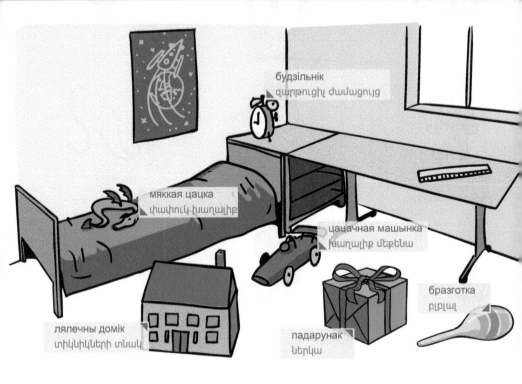

# дзіцячы пакой
## մանկական սենյակ

будзільнік
զարթուցիչ ժամացույց
мяккая цацка
փափուկ խաղալիք
цацачная машынка
խաղալիք մեքենա
бразготка
лялечны домік
տիկնիկների տնակ
падарунак
նվեր

надзіманы шарык

փուչիկ

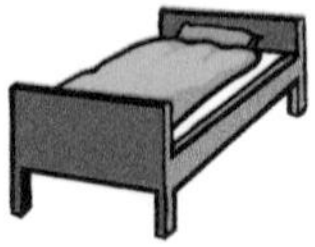

ложак

մահճակալ

дзіцячая каляска

մանկական սայլակ

калода картаў

խաղաթղթեր

пазл

խճապատկեր

комікс

կոմիքս

канструктар "Лега"

Լեգո կուբիկներ

канструктар

կառուցողական խաղալիքներ

экшэн-фігурка

ակցիան գործիչ

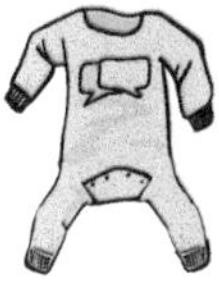

дзіцячы гарнітур

մանկական բոդի

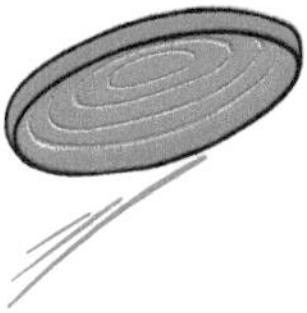

фрызбі

Frisbee

дзіцячы мабіль

շարժական

настольная гульня

խաղատախտակ

кубік

զառախաղ

дзіцячая чыгунка

գնացքների կազմ

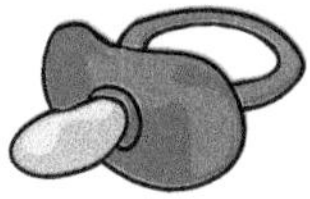

пустышка

ծծակ

дзіцячае свята

կուսակցություն

кніга з малюнкамі

մանկական պատկերազարդ գիրք

мячык

գնդակ

лялька

տիկնիկ

гуляцца

խաղալ

пясочніца

ավազե խաղահրապարակի

арэлі

ռիթմ

цацкі

Խաղալիքներ

гульнявая відэа прыстаўка

վիդեո խաղ մխիթարել

трохколавы ровар

եռանիվ հեծանիվ

плюшавы мішка

խաղալիք արջուկ

шафа

պահարան

# адзенне

# հագուստ

шкарпэткі

կիսագուլպա

панчохі

գուլպա

калготкі

զուգագուլպա

шалік
շարֆ

парасон
հովանոց

рамень
գոտի

цішотка
շապիկ

боты
կոշիկ

красоўкі
սպորտային կոշիկներ

пантоплі
հողաթափեր

сандалі
սանդալներ

абутак
կոշիկ

гумовыя боты
ռետինե կոշիկներ

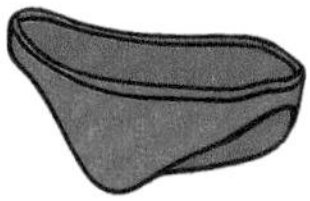

трусы
վարտիք

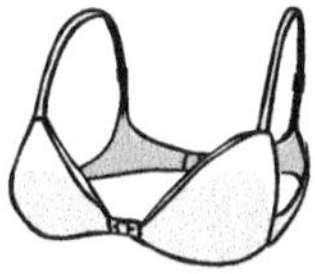

бюстгальтар
կրծկալ

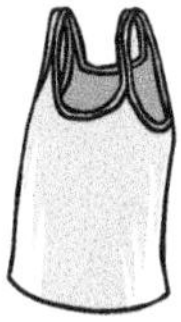

майка
մայկա

бодзі

մարմին

штаны

անդրավարտիք

джынсы

ջինս

спадніца

կիսաշրջազգեստ

блузка

բլուզ

кашуля

վերնաշապիկ

джэмпер

պուլովեր

талстоўка

սպորտային կուրտկա

блэйзер

պիջակ

куртка

կուրտկա

паліто

վերարկու

дажджавік

անձրևանոց

касцюм

կանացի կոստյում

сукенка

զգեստ

вясельная сукенка

հարսանյաց զգեստ

касцюм

տղամարդու կոստյում

начная сарочка

գիշերանոց

піжама

պիժամա

сары

Սարի

хустка

գլխաշորն

цюрбан

չալմա

паранджа

չադրա

каптан

արևելյան խալաթ

Абая

հաստ վերարկու

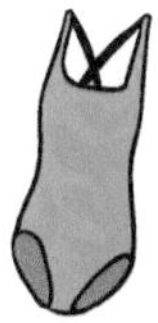

купальнік

կանացի լողազգեստ

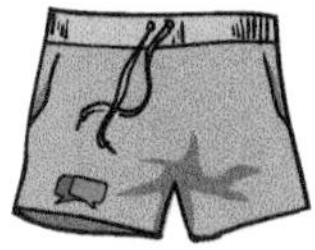

плаўкі

տղամարդու լողազգեստ

шорты

շորտ

спартыўны касцюм

սպորտային համազգեստ

фартух

գոգնոց

пальчаткі

ձեռնոցներ

гузік

կոճակ

акуляры

ակնոց

бранзалет

ապարանջան

каралі

վզնոց

кальцо

մատանի

завушніца

ականջօղ

кепка

գլխարկ

вешалка

կախիչ

капялюш

գլխարկ

гальштук

փողկապ

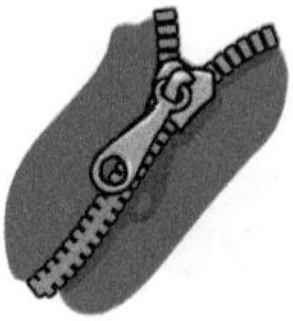

маланка

շղթա

шлем

սաղավարտ

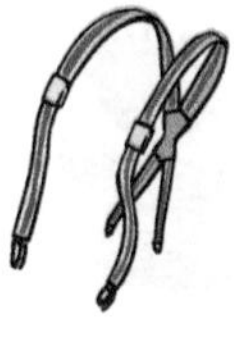

падцяжкі

տաբատակալ

школьная форма

դպրոցական համազգեստ

уніформа

համազգեստ

нагруднік

մանկական գոգնոց

пустышка

ծծակ

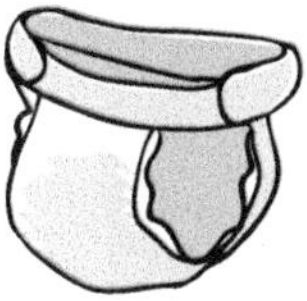

падгузнік

մանկական տակդիր

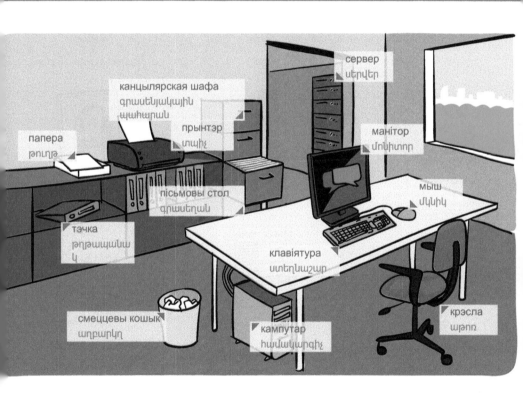

# офіс

## գրասենյակ

сервер
սերվեր
канцылярская шафа
գրասենյակային պահարան
прынтэр
տպիչ
папера
թուղթ
манітор
մոնիտոր
мыш
մկնիկ
пісьмовы стол
գրասեղան
тэчка
թղթապանակ
клавіятура
ստեղնաշար
крэсла
աթոռ
смеццевы кошык
աղբարկղ
кампутар
համակարգիչ

убак для кавы (філіжанка)

սուրճի գավաթ

калькулятар

հաշվիչ

інтэрнэт

ինտերնետ

офіс - գրասենյակ 49

ноўтбук

laptop

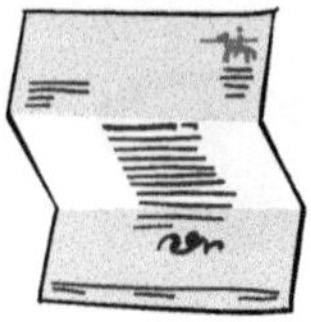

ліст

նամակ

паведамленне

հաղորդագրություն

мабільны тэлефон

բջջային հեռախոս

сетка

ցանց

ксеракс

պատճենահանման սարք

праграмнае забеспячэнне

ծրագրային ապահովում

тэлефон

հեռախոս

разетка

վարդակ

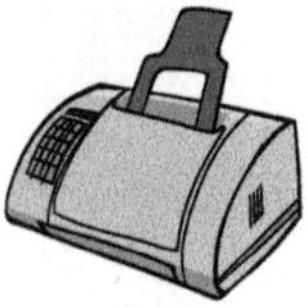

факс

ֆաքսի մեքենա

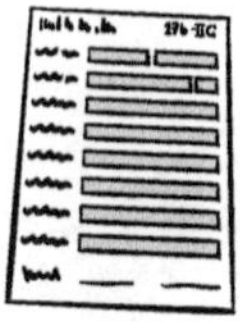

фармуляр

տեսակ

дакумент

փաստաթուղթ

купляць

գնել

плаціць

վճարել

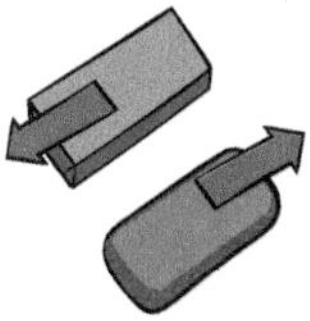

гандляваць

առեւտրի

грошы

փող

USD

долар

դոլար

EUR

еўра

եվրո

JPY

ена

իեն

RUB

рубель

ռուբլի

CHF

франк

շվեյցարական ֆրանկ

CNY

кітайскі юань

յուան

INR

рупія

ռուպի

банкамат

բանկոմատ

абменны пункт

փոխանակման կետ

золата

ոսկի

срэбра

արծաթ

нафта

նավթ

энергія

էներգիա

цана

գին

кантракт

պայմանագիր

падатак

հարկ

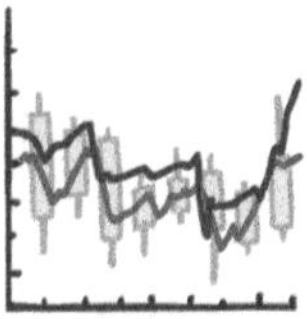

акцыя

ակցիաներ

працаваць

աշխատանք

служачы

ծառայող

працадаўца

գործատուն

фабрыка

գործարան

крама

խանութ

# прафесіі

## մասնագիտություն

паліцыянт
ոստիկան
пажарны
հրշեջ
кухар
խոհարար
доктар
բժիշկ
пілот
օդաչու

садоўнік

.................

այգեպան

слесар

.................

ատաղձագործ

швачка

.................

դերձակուհի

суддзя

.................

դատավոր

хімік

.................

քիմիկոս

артыст

.................

դերասան

кіроўца аўтобуса

ավտոբուսի վարորդ

таксіст

տաքսու վարորդ

рыбак

ձկնորս

прыбіральшчыца

հավաքարար

страхар

տանիքագործ

афіцыянт

մատուցող

паляўнічы

որսորդ

мастак

նկարիչ

пекар

հացթուխ

электрык

էլեկտրատեխնիկ

будаўнік

շինարար

інжынер

ինժեներ

мяснік

մսագործ

сантэхнік

ջրմուղագործ

паштальён

փոստատար

салдат

զինվոր

архітэктар

ճարտարապետ

касір

գանձապահ

фларыст

ծաղկավաճառ

цырульнік

վարսավիր

кандуктар

տոմսավաճառ

механік

մեխանիկ

капітан

կապիտան

стаматолаг

ատամնաբույժ

вучоны

գիտնական

рабін

ռաբբի

імам

Իմամ

манах

կուսակրոն

святар

հոգևորական

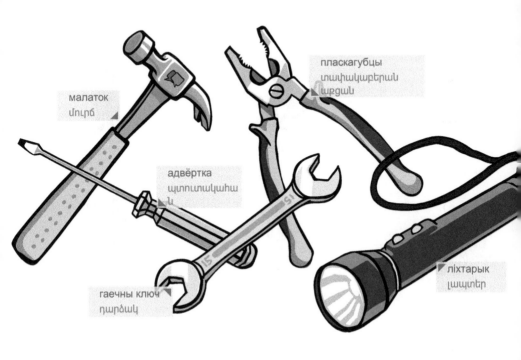

# інструменты

## գործիքներ

пласкагубцы
տափակաբերան
աքցան
малаток
մուրճ
адвёртка
պտուտակահա
ն
ліхтарык
լապտեր
гаечны ключ
դարձակ

экскаватар

էքսկավատոր

скрыня для інструментаў

գործիքների տուփ

дравіны

սանդուղք

піла

սղոց

цвікі

մեխեր

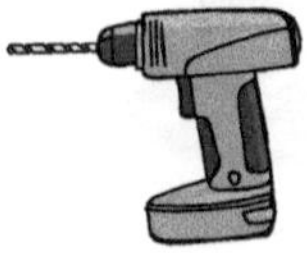

дрыль

գայլիկոն

рамантаваць

նորոգում

рыдлеўка

բահ

Халера!

գրողը տանի

шуфлік для смецця

գոգաթիակ

вядро з фарбаю

ներկաման

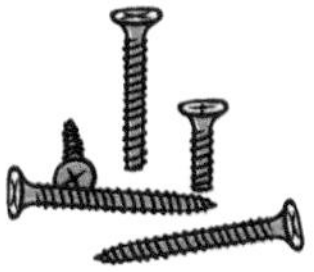

балты

պտուտակներ

# музычныя інструменты

## երաժշտական գործիքներ

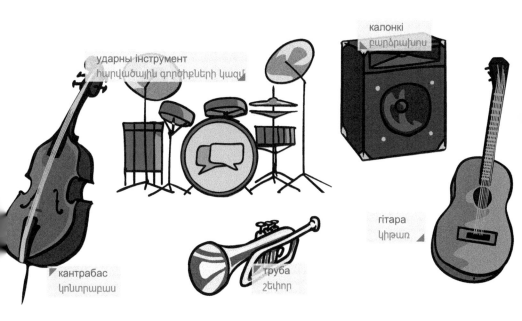

калонкі
բարձրախոս
ударны інструмент
հարվածային գործիքների կազմ
гітара
կիթառ
кантрабас
կոնտրաբաս
труба
շեփոր

піяніна

դաշնամուր

скрыпка

ջութակ

басгітара

բաս

літаўры

թմբուկներ

барабан

հարվածային գործիքներ

клавішны электрамузычны інструмент

ստեղնաշար

саксафон

սաքսոֆոն

флейта

ֆլեյտա

мікрафон

միկրոֆոն

# заапарк

## կենդանաբանական այգի

увахoд
մուտք
тыгр
վագր
клетка
վանդակ
зебра
զեբր
корм для жывёл
կենդանիների կերակուր
панда
պանդա

жывёлы

կենդանիներ

слон

փիղ

кенгуру

կենգուրու

насарог

ռնգեղջյուր

гарыла

գորիլա

мядзведзь

գորշ արջ

вярблюд

ուղտ

стравус

ջայլամ

леў

առյուծ

малпа

կապիկ

фламінга

Ֆլամինգո

папугай

թութակ

белы мядзведзь

բևեռային արջ

пінгвін

պինգվին

акула

շնաձուկ

паўлін

սիրամարգ

змяя

օձ

кракадзіл

կոկորդիլոս

наглядчык заапарка

կենդանաբանական այգու
աշխատող

цюлень

փոկ

ягуар

յագուար

поні

պոնի

леапард

ընձառյուծ

бегемот

գետաձի

жыраф

ընձուղտ

арол

արծիվ

дзік

վարազ

рыбак

ձուկ

чарапаха

կրիա

морж

ծովացուլ

ліса

աղվես

газель

վիթ

# спорт

## սպորտներ

амерыканскі футбол
ամերիկյան ֆուտբոլ
веласпорт
հեծանվավազք
тэніс
թենիս
баскетбол
բասկետբոլ
плаванне
լող
бокс
բռնցքամարտ
хакей з шайбай
հոկեյ

футбол

ֆուտբոլ

бадмінтон

բադմինտոն

лёгкая атлетыка

աթլետիկա

гандбол

ձեռքի գնդակ

горныя лыжы

դահուկային սպորտ

пола

պոլո

# дзейнасць

## գործունեություն

смяяцца
ծիծաղել
скакаць
ցատկել
абдымаць
գրկել
ісці
քայլել
спяваць
երգել
марыць
երազել
маліцца
աղոթել
цалаваць
համբուրել

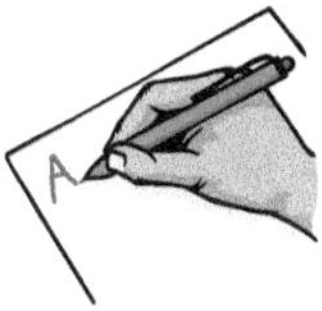

пісаць

գրել

маляваць

նկարել

паказваць

ցույց տալ

націснуць

հրել

даваць

տալ

браць

վերցնել

мацць

ունենալ

выконваць

դեպի

быць

լինել

стаяць

կանգնել

бегчы

վազել

цягнуць

քաշել

кідаць

նետել

падаць

ընկնել

ляжаць

ստել

чакаць

սպասել

насіць

կրել

сядзець

նստել

апранацца

հագնվել

спаць

քնել

прачынацца

արթնանալ

глядзець

նայել

плакаць

լացել

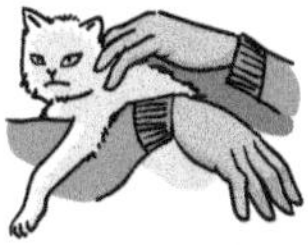

лашчыць

շոյել

прычэсвацца

սանրվել

гаварыць

խոսել

разумець

հասկանալ

пытаць

հարցնել

чуць

լսել

піць

խմել

есці

ուտել

прыбіраць

հարդարվել

кахаць

սիրել

гатаваць

խոհարար

ехаць

քշել

лятаць

թռչել

плаваць пад ветразем

լողալ

лічыць

հաշվել

чытаць

կարդալ

вучыць

սովորել

працаваць

աշխատանք

уступаць у шлюб

ամուսնանալ

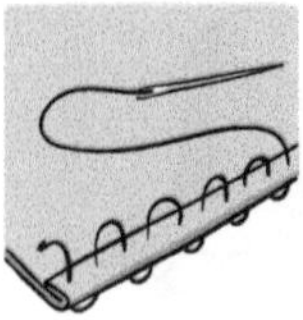

шыць

կարել

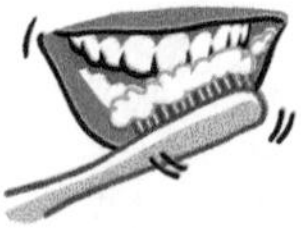

чысціць зубы

ատամները լվանալ

забіваць

սպանել

курыць

ծուխ

пасылаць

ուղարկել

# сям'я
## ընտանիք

бабуля
տատիկ
дзядуля
պապիկ
бацька
հայր
маці
մայր
дзіця
երեխա
дачка
դուստր
сын
որդի

госьць

հյուր

цётка

հորաքույր

дзядзька

հորեղբայր

брат

եղբայր

сястра

քույր

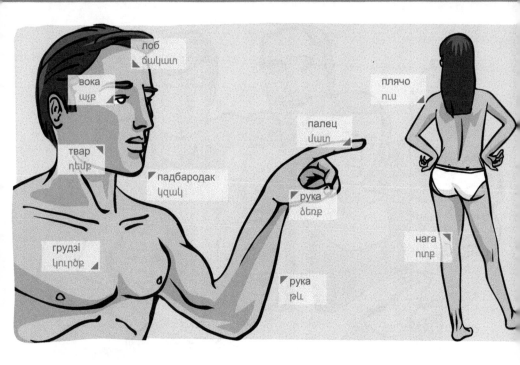

# цела

## մարմին

лоб
ճակատ
вока
твар
դեմք
падбародак
կզակ
палец
մատ
рука
ձեռք
грудзі
կուրծք
рука
թև
плячо
ուս
нага
ոտք

дзіця

երեխա

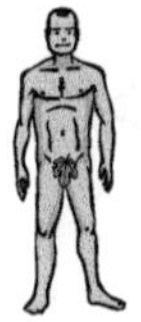

мужчына

մարդ

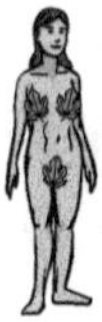

жанчына

կին

дзяўчынка

աղջիկ

хлопчык

տղա

галава

գլուխ

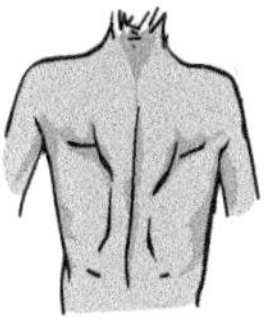

спіна

մեջք

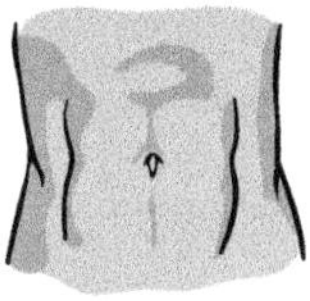

жывот

փոր

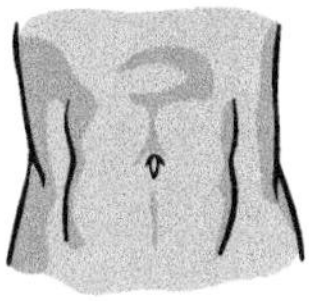

пуп

պորտ

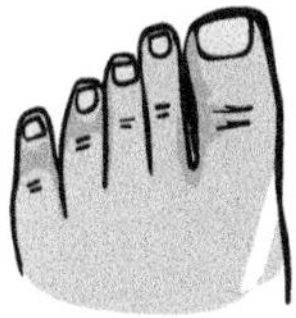

палец нагі

ոտնամատ

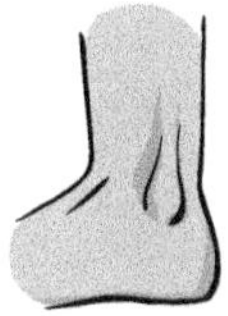

пятка

կրունկ

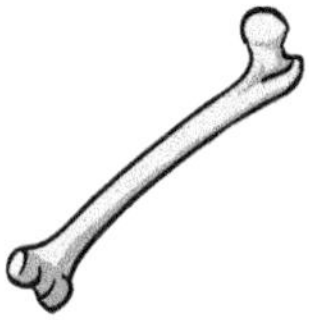

костка

ոսկոր

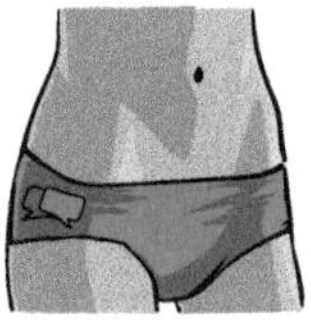

бядро

ազդր

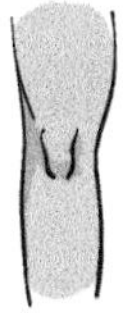

калена

ծունկ

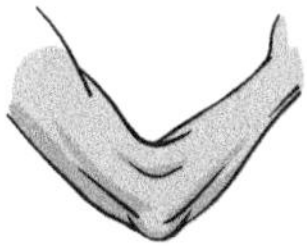

локаць

արմունկ

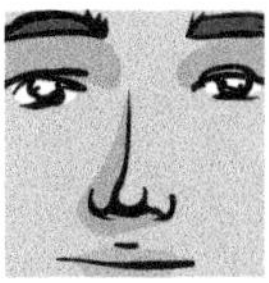

нос

քիթ

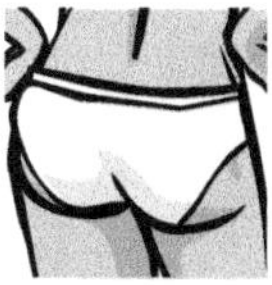

ягадзіца

հետույք

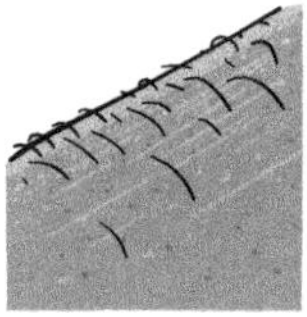

скура

մաշկ

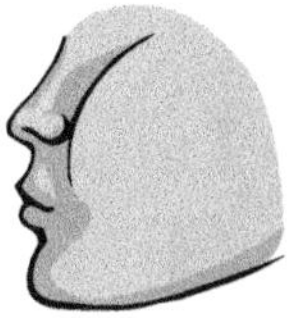

шчака

այտ

вуха

ականջ

губа

շրթունք

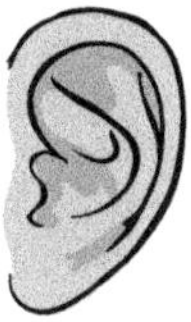

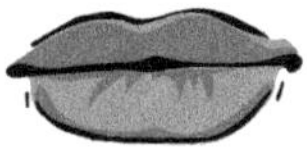

рот

բերան

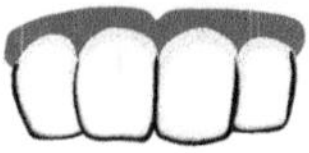

зуб

ատամ

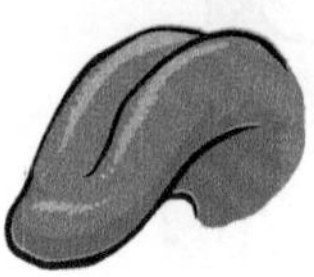

язык

լեզու

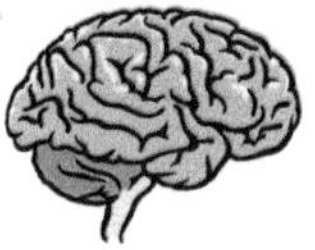

галаўны мозг

ուղեղ

сэрца

սիրտ

мышца

մկան

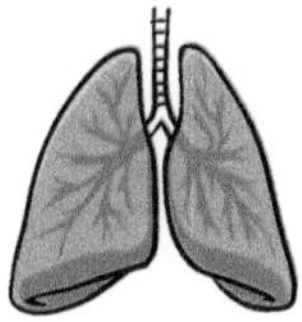

лёгкае

թոք

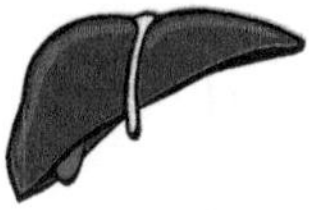

пячонка

լյարդ

страўнік

ստամոքս

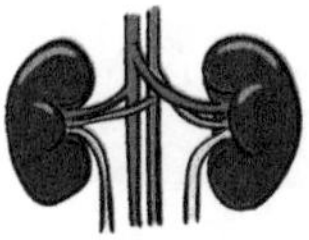

ныркі

երիկամներ

сэкс

սեքս

прэзерватыў

պահպանակներ

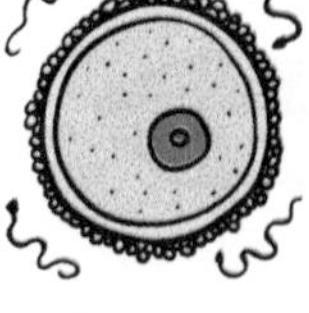

яйцаклетка

ձվաբջիջը

сперма

Սեմյոն

цяжарнасць

հղիություն

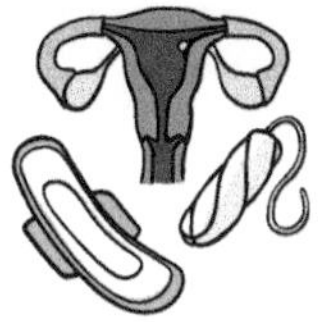

менструацыя
........
դաշտան

похва
........
հեշտոց

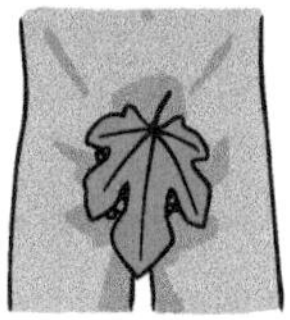

пеніс
........
առնանդամ

брыво
........
հոնք

валасы
........
մազ

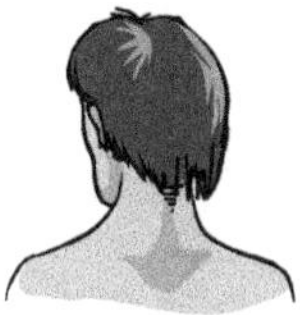

шыя
........
պարանոց

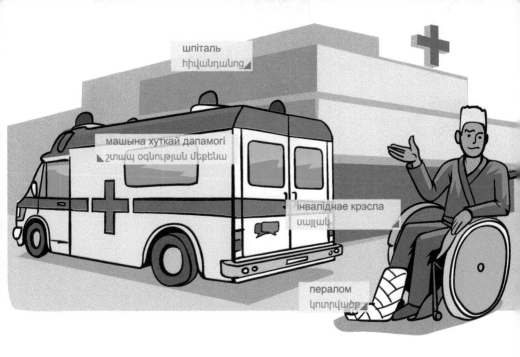

шпіталь
հիվանդանոց

машына хуткай дапамогі
շտապ օգնության մեքենա

інваліднае крэсла
սայլակ

пералом
կոտրվածք

доктар

բժիշկ

аддзяленне першай
дапамогі
շտապ օգնության սենյակ

медсястра

բուժքույր

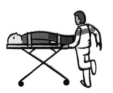

экстраная дапамога

շտապ օգնություն

непрытомны

անգիտակից

боль

ցավ

траўма

վնասվածք

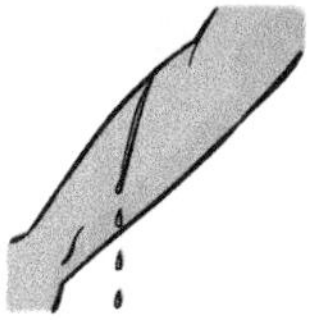

крывацёк

արյունահոսություն

інфаркт

սրտի կաթված

апаплексія

կաթված

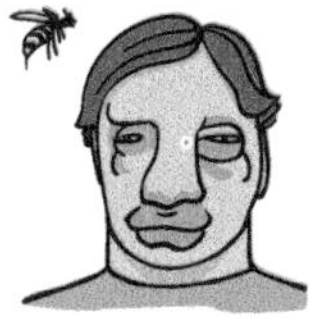

алергія

ալերգիա

кашаль

հազ

гарачка

տենդ

грып

գրիպ

панос

փորլուծություն

галаўны боль

գլխացավ

рак

քաղցկեղ

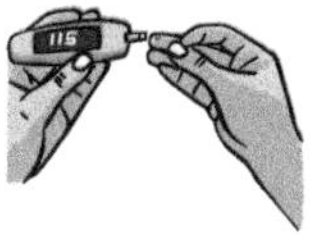

дыябет

դիաբետ

хірург

վիրաբույժ

скальпель

վիրադանակ

аперацыя

վիրահատություն

КТ

СТ

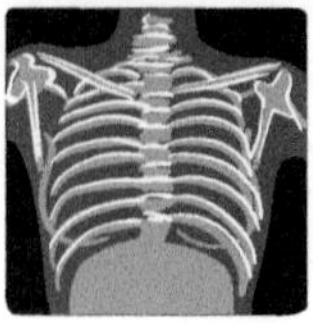

рэнтген

ռենտգեն

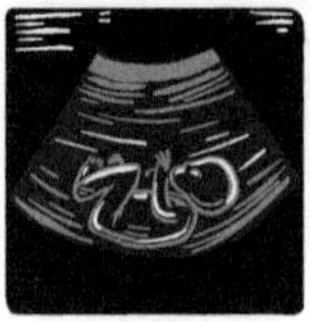

ультрагук

ուլտրաձայնային

маска

դեմքի դիմակ

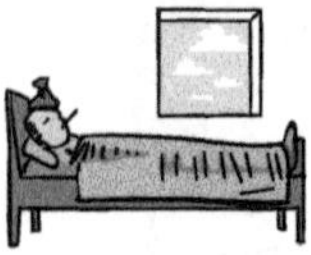

хвароба

հիվանդություն

пачакальня

սպասասրահ

мыліца

հենակ

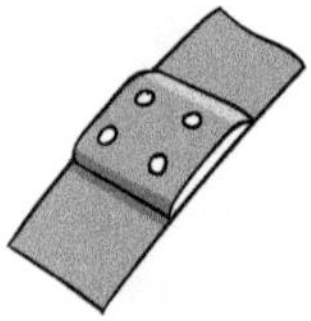

пластыр

սպեղանի

бінт

վիրակապ

ін'екцыя

ներարկում

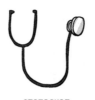

стэтаскоп

լսափողակ

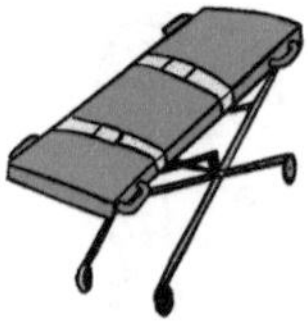

насілкі

պատգարակ

градуснік

ջերմաչափ

нараджэнне

ծնունդ

лішняя вага

ավելաքաշ

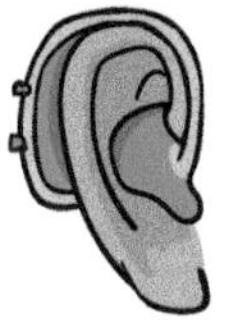

слухавы апарат

լսելով օգնության

дэзінфекцыйны сродак

ախտահանիչ

інфекцыя

վարակ

вірус

վիրուս

ВІЧ/СНІД

ՄԻԱՎ / ՁԻԱՀ

лекі

դեղորայք

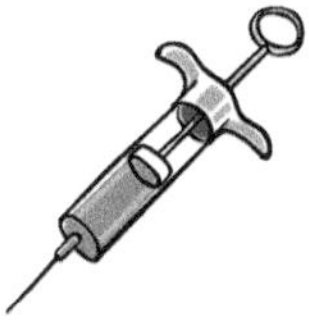

прышчэпка

պատվաստում

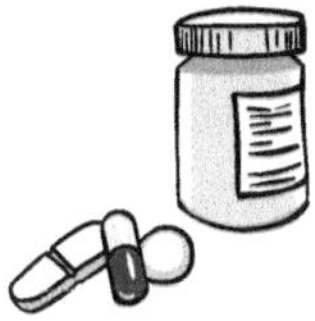

таблеткі

հաբեր

супрацьзачаткавая таблетка

հաբ

экстраны выклік

ահազանգ

танометр

արյան ճնշման չափիչ սարք

хворы / здаровы

հիվանդ / առողջ

# экстраная дапамога

## շտապ օգնություն

Ратуйце!

Օգնություն!

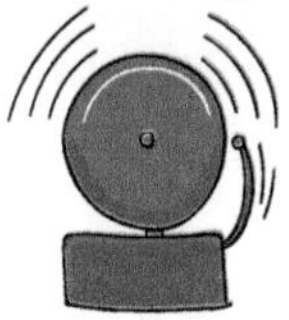

сігналізацыя

տագնապի ազդանշան

напад

հարձակում

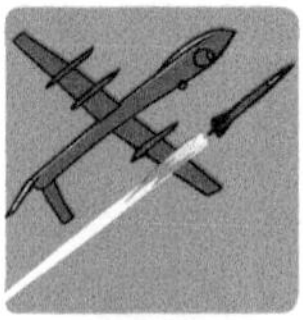

атака

հարձակում

небяспека

վտանգ

аварыйны выхад

վթարային ելք

Пажар!

Հրդեհ

вогнетушыцель

կրակմարիչ

аварыя

վթար

аптэчка

առաջին օգնության դեղարկղ

СОС

SOS

паліцыя

ոստիկանություն

Еўропа

Եվրոպա

Паўночная Амерыка

Հյուսիսային Ամերիկա

Паўднёвая Амерыка

Հարավային Ամերիկա

Афрыка

Աֆրիկա

Азія

Ասիա

Аўстралія

Ավստրալիա

Атлантычны акіян

Ատլանտյան օվկիանոս

Ціхі акіян

Խաղաղ օվկիանոս

Індыйскі акіян

Հնդկական օվկիանոս

Паўднёвы ледавіты акіян

Հարավային Սառուցյալ
օվկիանոս

Паўночны ледавіты акіян

Հյուսիսային Սառուցյալ
օվկիանոս

Паўночны полюс

հյուսիսային բևեռ

Паўднёвы полюс

հարավային բևեռ

Антарктыда

Անտարկտիդա

Зямля

երկիր

краіна

ցամաք

мора

ծով

востраў

կղզի

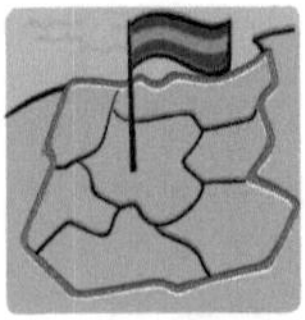

нацыя

ազգ

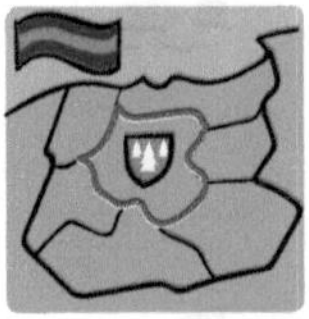

дзяржава

պետական

# гадзіннік
## ժամացույց

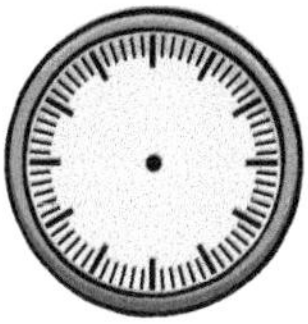

цыферблат

թվատախտակ

гадзінная стрэлка

ժամի սլաք

хвілінная стрэлка

րոպեի սլաք

секундная стрэлка

վայրկյանի սլաք

Колькі часу?

Ժամը քանիսն է?

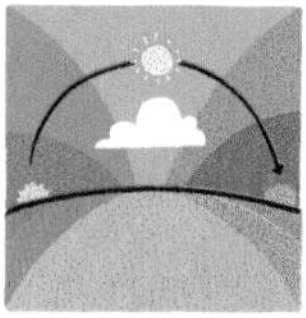

дзень

օր

час

այսպիսով

зараз

այժմ

электронны гадзіннік

թվային ժամացույց

хвіліна

րոպե

гадзіна

ժամ

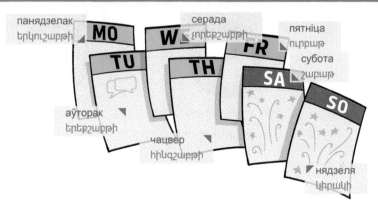

панядзелак
երկուշաբթի

серада
չորեքշաբթի

пятніца
ուրբաթ

субота
շաբաթ

аўторак
երեքշաբթի

чацвер
հինգշաբթի

нядзеля
կիրակի

ўчора

այսօր

сёння

այսօր

заўтра

վաղը

раніца

առավոտ

абед

կեսօր

вечар

երեկո

| MO | TU | WE | TH | FR | SA | SU |
|---|---|---|---|---|---|---|
| 1 | 2 | 3 | 4 | 5 | 6 | 7 |
| 8 | 9 | 10 | 11 | 12 | 13 | 14 |
| 15 | 16 | 17 | 18 | 19 | 20 | 21 |
| 22 | 23 | 24 | 25 | 26 | 27 | 28 |
| 29 | 30 | 31 | 1 | 2 | 3 | 4 |

працоўныя дні

աշխատանքային օրեր

| MO | TU | WE | TH | FR | SA | SU |
|---|---|---|---|---|---|---|
| 1 | 2 | 3 | 4 | 5 | 6 | 7 |
| 8 | 9 | 10 | 11 | 12 | 13 | 14 |
| 15 | 16 | 17 | 18 | 19 | 20 | 21 |
| 22 | 23 | 24 | 25 | 26 | 27 | 28 |
| 29 | 30 | 31 | 1 | 2 | 3 | 4 |

выхадныя

շաբաթվա վերջ

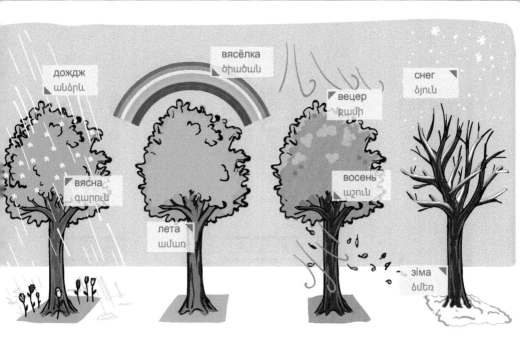

# год

# տարի

дождж
անձրև
вясёлка
ծիածան
вецер
քամի
снег
ձյուն
вясна
գարուն
восень
աշուն
лета
ամառ
зіма
ձմեռ

прагноз надвор'я

եղանակի տեսություն

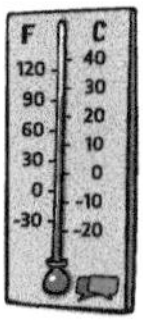

градуснік

ջերմաչափ

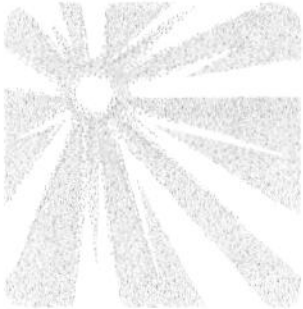

сонечнае святло

արևի լույս

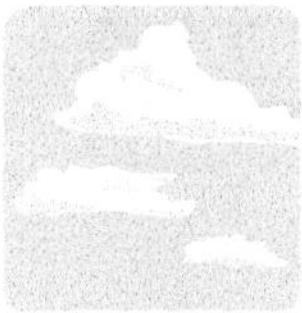

воблака

ամպ

туман

մառախուղ

вільготнасць паветра

խոնավություն

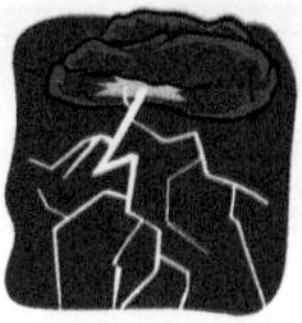

маланка

կայծակ

гром

որոտ

бура

փոթորիկ

град

կարկուտ

мусонны вецер

մուսոն

прыліў

ջրհեղեղ

лёд

սառույց

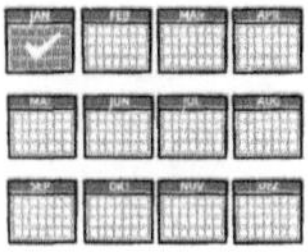

студзень

հունվար

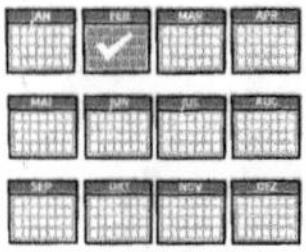

люты

փետրվար

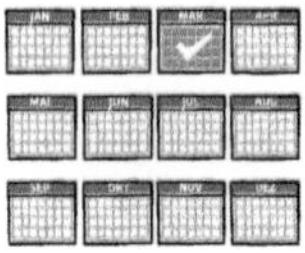

сакавік

մարտ

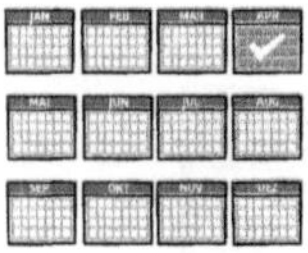

красавік

ապրիլ

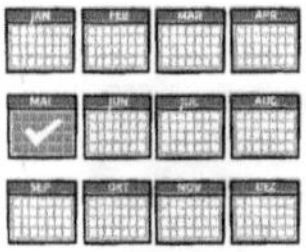

май

մայիս

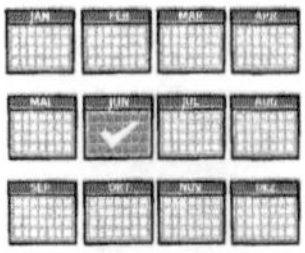

чэрвень

հունիս

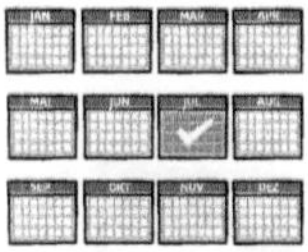

ліпень

հուլիս

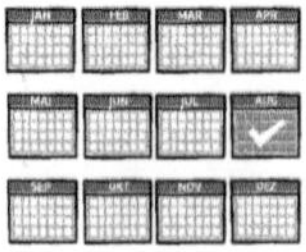

жнівень

օգոստոս

82 год - տարի

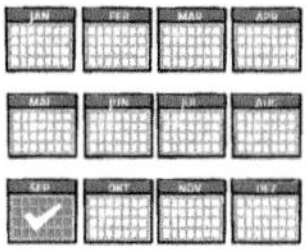

верасень

սեպտեմբեր

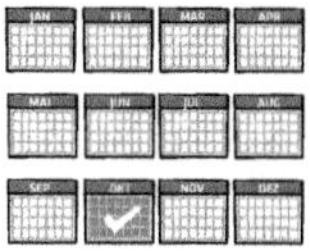

кастрычнік

հոկտեմբեր

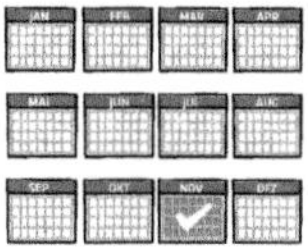

лістапад

նոյեմբեր

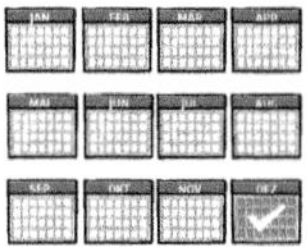

снежань

դեկտեմբեր

## формы

## ձեւավորում

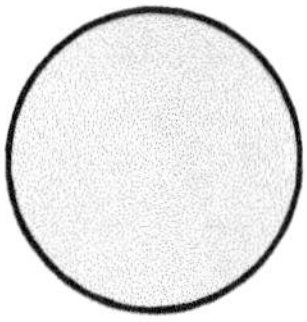

круг

շրջան

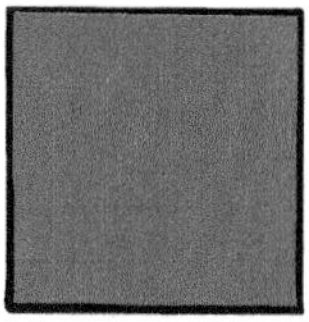

квадрат

քառակուսի

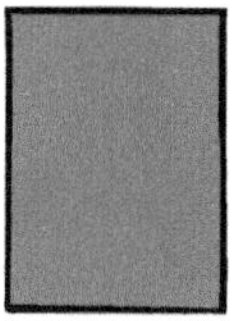

прамавугольнік

ուղղանկյունի

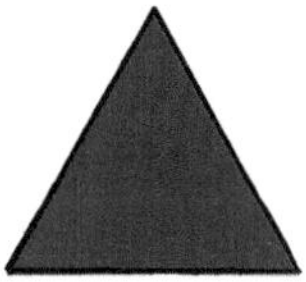

трохвугольнік

եռանկյունի

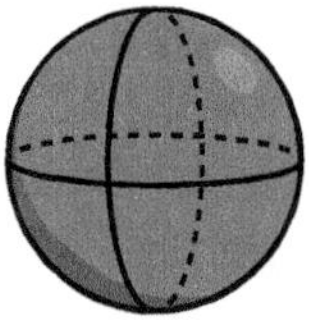

шар

ասպարեզ

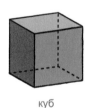

куб

խորանարդ

# колеры

## գույներ

белы

вարդագույն

жоўты

մոխրագույն

аранжавы

դեղին

ружовы

մանուշակագույն

чырвоны

կարմիր

фіялетавы

շագանակագույն

сіні

կապույտ

зялёны

սև

карычневы

նարնջագույն

шэры

սպիտակ

чорны

կանաչ

# супрацьлегласці

# հակադիրներ

шмат / мала

շատ / քիչ

злы / добры

բարկացած / հանգիստ

прыгожы / брыдкі

գեղեցիկ / տգեղ

пачатак / канец

սկսած / վերջը

высокі / малы

մեծ / փոքր

светлы / цёмны

պայծառ / մութ

сястра / брат

եղբայրը / քույրը

чысты / брудны

մաքուր / կեղտոտ

поўны / няпоўны

ամբողջական / թերի

дзень / ноч

օր / գիշեր

мёртвы / жывы

մեռած / կենդանի

шырокі / вузкі

լայն / նեղ

ядомы / неядомы

ուտելի / անուտելի

злы / добры

չար / բարի

узбуджаны / нудны

հուզված / ձանձրացրել

тоўсты / тонкі

հաստ / բարակ

першы / апошні

առաջին / վերջին

сябар / вораг

ընկերը / թշնամին

поўны / пусты

լիքը / դատարկ

цвёрды / мяккі

կոշտ / փափուկ

важкі / лёгкі

ծանր / թեթև

голад / смага

քաղց / ծարավ

хворы / здаровы

հիվանդ / առողջ

нелегальны / легальны

անօրինական է / իրավաբանական

разумны / дурны

խելացի / հիմարություն

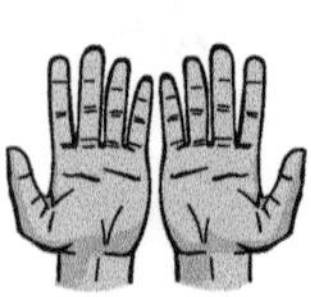

левы / правы

ձախ / աջ

побач / далёка

մոտիկ / հեռու

новы / былы ва ўжыванні

Նոր / օգտագործվում

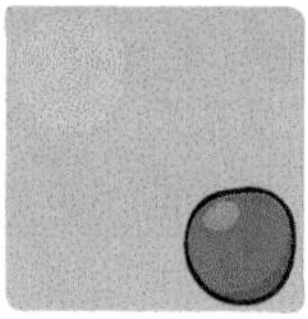

нічога / нешта

ոչինչ / ինչ - որ բան

стары / малады

ծեր / երիտասարդ

укл / выкл

միացում անջատում

адчынены / зачынены

բաց / փակ

ціхі / гучны

ցածր / բարձր

багаты / бедны

հարուստ / աղքատ

правільна / няправільна

ճիշտ / սխալ

шурпаты / гладкі

անհարթ / հարթ

сумны / шчаслівы

տխուր / ուրախ

кароткі / доўгі

կարճ / երկար

павольны / хуткі

դանդաղ / արագ

вільготны / сухі

թաց / չոր

цёплы / халаднаваты

տաք / թույն

вайна / мір

պատերազմ /
խաղաղությունը

# лічбы

# թվեր

**0**

нуль

զրո

**1**

адзін

մեկ

**2**

два

երկու

**3**

тры

երեք

**4**

чатыры

չորս

**5**

пяць

հինգ

**6**

шэсць

վեց

**7**

сем

յոթ

**8**

восем

ութ

**9**

дзевяць

ինը

**10**

дзесяць

տաս

**11**

адзінаццаць

տասնմեկ

**12**

дванаццаць

տասներկու

**13**

трынаццаць

տասներեք

**14**

чатырнаццаць

տասնչորս

**15**

пятнаццаць

տասնհինգ

**16**

шаснаццаць

տասնվեց

**17**

сямнаццаць

տասնյոթ

**18**

васямнаццаць

տասնութ

**19**

дзевятнаццаць

տասնինը

**20**

дваццаць

քսան

**100**

сто

հարյուր

**1.000**

тысяча

հազար

**1.000.000**

мільён

միլիոն

## լեզուներ

английская

անգլերեն

английская (Амерыка)

ամերիկյան անգլերեն

кітайская мандарынская

չինարեն մանդարին

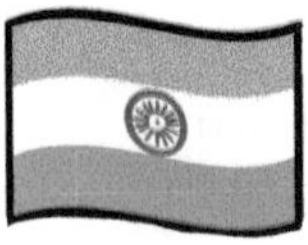

хіндзі

հինդի

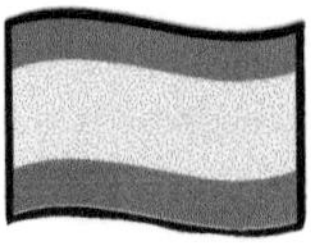

іспанская

իսպաներեն

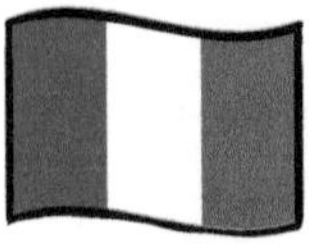

французская

ֆրանսերեն

арабская

արաբերեն

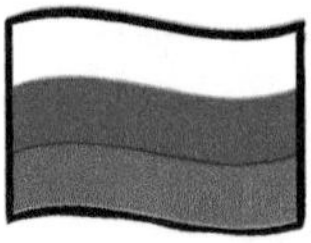

руская

ռուսերեն

партугальская

պորտուգալերեն

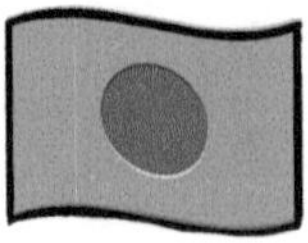

бенгальская

բենգալերեն

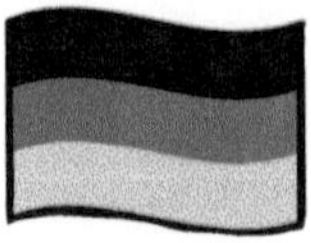

нямецкая

գերմաներեն

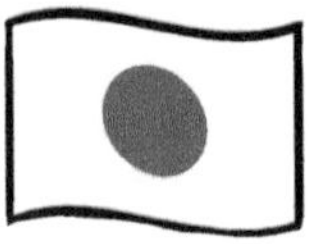

японская

ճապոներեն

# Ով է /, թե ինչ է /, ինչպես

я

Ես

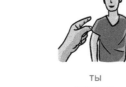

ты

դուք

ён / яна / яно

Նա / նա /, որ դա

мы

մենք

вы

դուք

яны

նրանք

хто?

Ով է?

што?

ինչ?

як?

ինչպես?

дзе?

որտեղ.

калі?

երբ?

імя

անուն

за

ետևում

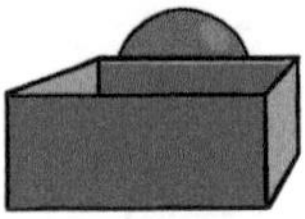

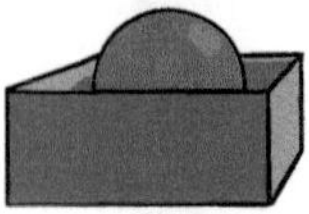

у

մեջ

перад

դիմաց

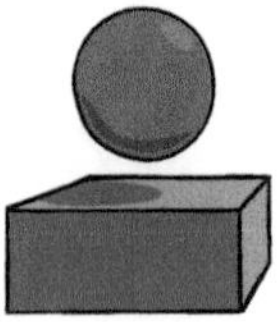

над

վրա

на

վրա

пад

տակ

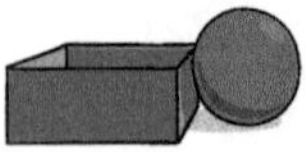

каля

կողքին

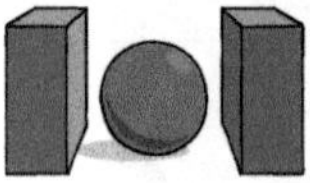

паміж

միջեւ

месца

տեղ